JN073730

きほんの木

花がきれい

写真 姉崎一馬　文 姉崎エミリー

もくじ

きれいな花で
おもてなし

　日本には、野山に生える野生の木が1000種類以上あります。どの木にも花が咲きますが、小さくてめだたない花から、直径20㎝もある大きな花もあり、花の色や形もさまざまです。

　そのなかから、花がきれいでめだつ木を10種類えらびました。みなさんにぜひおぼえてほしい木です。

　植物はなかまを増やすために、いろいろな方法でたねをまきます。なかでもめだつ花を咲かせる植物は、昆虫や鳥などに花粉を運んでもらうために、おいしい蜜を用意して、花粉も食べものとして分けています。

　その用意ができました、というおしらせが、きれいでめだつ花なのです。花の美しさだけでなく、そこにくる生きものたちの観察も楽しんでください。

サクラ

サクラといえば花見、花見といえばサクラというくらいですが、花見で有名な場所のサクラは、花を楽しむために人がつくりだしたソメイヨシノがほとんどです。

山に目を向けると、野生のサクラはヤマザクラをはじめたくさんの種類があり、少しずつ花の時期をずらしながらつぎつぎに咲きます。野山で木々の新緑のなかに、少しずつ色あいのちがったサクラの花を見つけると、春を強く感じます。

ウワミズザクラ

ヤマザクラの花

オオヤマザクラの紅葉

　野生のサクラは種類が多く、花の色には白色から
こいピンク色まであり、花の大きさもいろいろです。
ウワミズザクラのように、小さな花が集まってブラ
シ形に咲くものもあります。ヤマザクラは、花と同
時に開く葉がいろどりをそえます。
　また、野生のサクラは秋の紅葉もおすすめです。
こい赤色に色づいた葉は目にもあざやかで、春とは
ちがったサクラの魅力を見つけられるでしょう。

シイ

　シイの花がいっせいに咲くと、山がクリーム色に染まります。枝先の10cmほどの軸に、小さな花がびっしりと咲き、強いにおいを出して、花粉を運んでくれる昆虫たちをさそいます。

　関東から西にはシイの森が残っていて西へ行くほど多くなり、九州には大きな森があるので、クリーム色の春の山を見られます。関東では切られてしまい、広い面積のシイの森はほとんどありませんが、神社や寺の境内に大木が残されています。

満開のシイの花　11

雨の中のスダジイ

　シイは、一年中こい緑色の葉をつけているため、暗い印象があり、いつも同じように見えます。でも、春には古い葉の上にたくさんの花を咲かせ、古い葉を少しずつ落としながら木の上のほうに若葉を開くので、とても明るく見えます。夏から冬までの暗さと、春の明るさとのちがいが、大きな魅力です。

ツブラジイの花

スダジイのドングリ

　ドングリというと、ぼうしをかぶったものを思いうかべますが、シイのドングリは、外側がバナナの皮のようにむけます。

クリ

　秋になるとマロングラッセ、栗ようかんに栗きんとん、クリのおかしがつぎつぎ登場します。秋にとれたてのクリを使ったものは、だいじに味わって食べたくなります。
　おいしい実は、熟す前に食べられないように、とがった針のような「いが」で守られています。食べごろになると、いがは４つにわれて、実があらわれます。

クリの若い実　15

クリの雌花

　山には野生のクリの木がありますが、ふだんはほかの木にまぎれてしまい、めだちません。でも6月ごろに小さな花がひものように並んでたくさん咲くと、強いにおいで昆虫たちを集めて花粉を運んでもらいます。めだつ花とにおいのおかげで、こんなところにもクリの木があったと気づかされます。

　花粉を出す「雄花」のつけ根には、「雌花」がひとつあり、これが大きくなって実の入ったいがになります。

クリの雄花

ツツジ

　野生のツツジは、身近な林や川岸、高原から、1000m 以上の高い山、海岸の岩場まで、種類によってさまざまな場所に生えています。

　でも、平地の林や道ばたなど、身近なものは人間にほりとられて少なくなり、今ではがけ地や岩場など、人の近づけないところに残されているものが多いです。風景のなかでその土地のツツジの花を楽しんでください。

ヤマツツジ

　ツツジの花はまとまって咲くものが多く、まるで花束のように
めだち、種類によって４月から６月にかけて咲きます。花の色は
オレンジ、むらさき、ピンク、赤、白などさまざまです。５枚の
花びらの元はくっついていて、ラッパのような形をしています。
　日本のどのあたりに生えているのか、生える環境は平地の暖か
いところか高い山のすずしいところか、花が咲くのは何月ごろか
などは、ツツジの種類によってちがいます。だから、記念写真の
なかに写っているツツジの花だけで、どこで写したか、だいたい
の場所がわかることがあります。
　ツツジの花を手がかりに、どこへ行ったか言い当てることがで
きると、名探偵になった気がします。

トウゴクミツバツツジ

シロヤシオ

ヒカゲツツジ

モチツツジ

トチノキ

　トチノキと聞くとよだれが出てきます。花からはおいしいハチミツがとれて、実を使って栃もちがつくられるからです。
　枝先にろうそくを立てたようにも見える、20cmほどの大きな三角形の花は、小さな花がたくさん集まったものです。春に咲くと蜜を集めにくるミツバチの羽音でにぎやかになります。ミツバチを飼う人々は、昔からトチノキをたいせつにしてきました。

トチノキの花　23

トチノキの実

殻の中の実

　殻の中にはクリを丸くしたような実がありますが、アクが強くて人間はそのままでは食べられません。時間をかけてアクぬきをして、もち米にまぜて食べます。トチノキの実が地面に落ちると、森の動物たちと競争で集めなければいけません。
　秋にてんぐのうちわのような形の大きな葉が黄色く色づくと、みごとです。

トチノキの黄葉

フジ

初夏、高い木々にからみついてうすむらさき色の花を咲かせるフジ。長さ40cmくらいの軸につぼみがたくさんつき、軸の元から順番に咲きます。ひとつひとつの花は、2cmほどのチョウのような形をしています。花のうすむらさき色は「藤色」という色の名前にもなっています。

たくさんのフジの花がつぎつぎに咲くと、夏を前にした森が、いっそう明るくなったように思えます。

フジの花　27

クリの幹にからんだつる

　多くの木や草は幹や茎で立ちますが、フジのような
つる植物はほかの木などに巻きついて、早く長くのび、
日当たりのよい高い場所をひとりじめすることにエネ
ルギーを集中します。これが人間だったら他人をふみ
台にしてのし上がるようでズルイと言われそうですが、
つる植物のフジは、ほかの木を利用してふつうの木と
はちがう方法で大きくなるように進化しました。
　大きなスギをおおいつくして花を咲かせるフジから
は、つる植物の生命力の強さを感じます。

スギにからんだフジ

ホオノキ

ホオノキは花も葉も冬芽も大きい木です。葉は長さが30〜60㎝、はばが10〜25㎝もあります。じょうぶで香りがいいので、ごはんやもちなどをつつんだり、皿がわりに使ったりします。厚くて燃えにくいので、火にかけることもできます。

ホオノキの葉　31

ホオノキの花

開きはじめた冬芽

5月から6月に咲くりっぱな花は、野生の木のなかでいちばん大きくて、直径が15〜20cmと、おとなの手の指を広げたくらいあります。

冬芽には、春になると開いて葉や花になるものが入っていて、冬に葉を落とした木の枝先にのびてきます。ホオノキの冬芽は5cmほどもあり、春の芽吹きの時期に若葉が大きく広がるようすを見ると、冬芽が大きいことに納得します。

若葉

33

ネムノキ

ピンクと白の糸を束ねたような花は、ほかの木にはないネムノキだけのめずらしい形です。小さな花が集まった香りのいい花は、夕方咲いて、つぎの日にしぼみます。

6月から7月にかけて、たくさんのつぼみをつけてつぎからつぎへと咲くので、長い期間見ることができます。

ネムノキ 35

ネムノキの花

雨にぬれる花

　鳥の羽に似た形の葉は、夕方になるとたたむように閉じて、ねむっているように見えるので、ネムノキという名前がつきました。春にほかの木々が若葉を開いてもまだ芽吹かず、目覚めがおそいことも名前の元になっています。

　咲きはじめの花は、雨にぬれてもシャキッと立ちあがっていますが、散りぎわの花は、雨のしずくとともにたれ下がります。

　雨にぬれる木の花や葉もいいものです。ぜひ、雨の日の木々も観察してください。

ミズキ

　木の年齢を知りたいときは、枝が一年間にのびた部分を数えるとだいたいわかりますが、多くの木は枝の出方がばらばらで、数えにくいものです。
　その点ミズキは優等生です。枝が幹の周りをぐるりと囲むように同じ高さから出て、段をつくっています。1年ごとに枝をのばして成長するので、1段を1年と数えることができます。ミズキを見つけたら数えてみましょう。

ミズキの若葉　39

冬のミズキ

　冬に葉を落とした姿は、枝の出方や本数が
よくわかり、年齢が数えやすいです。
　また初夏には、階段状に張り出した葉の上
に、小さな花が集まったブーケのような白い
花が咲き、雪が積もったかと思えるほどです。
このときも枝の段を数えやすくなります。

ミズキの花

ツバキ

　庭や公園にたくさん植えられているツバ
キの元になったのが、野生のヤブツバキです。
ほとんど雪が積もらない暖かい地方に多く、
大きなものは高さ15mにもなります。
　日本各地に椿山と呼ばれる場所があり、ヤ
ブツバキが生えていますが、東北にも海岸近
くの雪の少ない場所に椿山があります。黒っ
ぽいこい緑色の葉の上に、春を知らせる明か
りのように赤い花を咲かせます。

ヤブツバキ　43

ユキツバキ

サザンカ

　ヤブツバキのなかまには、ユキツバキとサザンカがあります。雪の多い地方にはユキツバキが咲きます。木の高さは低くて地面をはうようにのび、雪の下にうもれてこおらずに冬をこすことができ、春に花を咲かせます。花も葉もうすくて、ヤブツバキよりやさしい感じです。

　庭や公園にたくさん植えられているサザンカには、赤やピンクの花が多いですが、野生のサザンカは白だけです。秋から冬にかけて、花の少ない時期に咲くサザンカに出会うと、うれしくなります。花が咲きおわると、サザンカは花びらが1枚ずつ散りますが、ツバキは花のまま落ちます。

花がきれいな木と人のくらし

おはなししきれなかった、花がきれいな木のことをもうちょっとだけお伝えします。

サクラ

桜もちに使われている塩づけの葉っぱは、オオシマザクラの葉です。国産のほとんどが静岡県伊豆半島で栽培されています。葉を採るための木は低くつくられ、1本から250枚も採れるそうです。

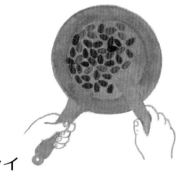

シイ

シイの実は食べられます。ツヤツヤしたかたい殻をむき、白い部分を食べます。そのまま食べてもおいしいですが、フライパンなどでから炒りすると殻がむきやすくなり、味もさらにおいしくなります。

ツツジ

生け垣や公園、並木の根元に植えられたツツジは全国で見られます。これらは野生のツツジを元に、人が花を楽しむためにつくりだしたツツジです。色とりどりで楽しませてくれますが、野生のツツジとちがい、いろいろな種類がまざっているため、花での場所当ては名探偵でもお手上げです。

クリ

クリの実はおいしいので、縄文時代から家の近くに植えて食べられていました。今では野生の小さなクリを元にして、おいしくて大きな実のなるクリがつくられています。そのおかげで、クリのおかしがいろいろと食べられるわけです。

トチノキ

身近なトチノキといえば、トチノキ並木があります。フランスのパリにはマロニエの並木がたくさんありますが、マロニエはトチノキのなかまです。トチノキの実は、植えるとほとんどが芽を出しますので、拾ったら植えてみてください。

フジ

たくさんの庭や公園につくられた藤棚を見ると、フジの花が人々に好かれていることがよくわかります。でも、スギなどのまっすぐな木を育てている林業家にとっては、巻きついたつるが太くなって木を曲げてしまうとこまるので、細いうちに切ってしまいます。

ホオノキ

大きな葉は食べものをつつむのによく使われます。有名なのは、肉やキノコ、味噌を葉でつつんで焼いた朴葉味噌や、おし寿司をつつんだ朴葉寿司、もちをつつんだ朴葉もちなどで、岐阜県飛騨地方でよく食べられています。

ネムノキ

花には、アゲハチョウのなかまが蜜を吸いによくきます。朝、花をよく見て、蜜の出ている部分を見つけたらなめてみてください。ほんのちょっとの量ですが、あまくておいしいです。湿度の高い夏の夜はにおいが伝わりやすいので、花のあまい香りを楽しむのもおすすめです。

ミズキ

幹を中心にぐるりときれいに広がった赤い枝は、団子をさして小正月の飾りに使われます。「団子の木」とも呼ばれ、門松などを焼く「どんど焼き」の火に枝をかざして団子を焼いて食べ、1年の健康などを願います。

ツバキ

ヤブツバキとサザンカの実からは油がとれます（ユキツバキにはあまり実がなりません）。椿油は伊豆諸島の伊豆大島や長崎県五島列島でつくられています。伊豆大島にはヤブツバキが300万本もあります。

花が咲いたら

　木は命をつなぐために、1年に一度だけ花を咲かせます。それはとても貴重な時間です。動くことのできない木は花を咲かせて実を結び、ほかの生きものや風、川の流れなどにたよって花粉や実を運んでもらい、生きていく世界を広げてきました。

　木はとても長生きな生きものです。種類によっては数百年も生き続けます。野生の木に咲く花は、どんなに小さなものであっても、自然の力があふれているように感じます。長い年月をかけて、その木にあった自然のなかでずっと生き続け、芽生えてから20年以上たたないと花が咲かないものもあります。豊かな自然があるからこそ、そこに花を咲かせ、多くの生きものを支えていくことができるのです。

　自然のなかで生きる木のたくましさを感じて、日本の自然を考えるきっかけにしてください。

姉崎一馬

少年時代に、夢中だった昆虫を通して自然科学の奥深さを知ったことで、自然の豊かさを伝え、守るという目標を掲げて撮影している。自然のたいせつさを子どもと分かちあう「わらだやしき自然教室」を主宰。『はるにれ』（福音館書店）、『雑木林』『ブナの森』（山と渓谷社）など著書多数。

「この本を持って野山に出かけて、自分がすむ場所の自然の豊かさを知り、木と友だちになってください」
ホームページは「わらだやしき自然教室」で検索

姉崎エミリー

子どものころからの自然体験や野生動物観察をきっかけに、自然のたいせつさを子どもたちに伝える自然教室のリーダーを続ける。子ども向けの図鑑や学習誌の編集に携わった後、全国の森林を巡り、木や森のことを学ぶ。著書に『一本の木に葉っぱは何枚？』『くりばやし』（福音館書店「たくさんのふしぎ」）などがある。

「木を知って、森を知って、生きもののくらしを知って、地球を知る……。この本から世界を広げてください」

きほんの木
花がきれい

2019年4月25日　初版発行

写真　姉崎一馬
文　　姉崎エミリー

イラスト　高橋和枝
デザイン　有山達也　中本ちはる（アリヤマデザインストア）
プリンティング・ディレクター　髙栁昇（株式会社東京印書館）
編集　寒竹孝子　川嶋隆義（スタジオ・ポーキュパイン）

発行人　田辺直正
編集人　山口郁子
発行所　アリス館
　　　　〒112-0002　東京都文京区小石川 5-5-5
　　　　電話 03-5976-0711　ファックス 03-3944-1228
　　　　http://www.alicekan.com/

印刷所　株式会社東京印書館
製本所　株式会社ハッコー製本

©Kazuma Anezaki, Emily Anezaki 2019 Printed in Japan
ISBN978-4-7520-0887-3　NDC400　48P　26cm
落丁・乱丁本はおとりかえいたします。定価はカバーに表示してあります。